Au moment de l'**heure des histoires**, tandis que l'un regarde les images et l'autre lit le texte, une relation s'enrichit, une personnalité se construit, naturellement, durablement.

Pourquoi ? Parce que la lecture partagée est une expérience irremplaçable, un vrai point de rencontre. Parce qu'elle développe chez nos enfants la capacité à être attentif, à écouter, à regarder, à s'exprimer. Elle élargit leur horizon et accroît leur chance de devenir de bons lecteurs.

Quand ? Tous les jours, le soir, avant de s'endormir, mais aussi à l'heure de la sieste, pendant les voyages, trajets, attentes... La lecture partagée permet de retrouver calme et bonne humeur.

Où ? Là où l'on se sent bien, confortablement installé, écrans éteints... Dans un espace affectif de confiance et en s'assurant, bien sûr, que l'enfant voit parfaitement les illustrations.

Comment ? Avec enthousiasme, sans réticence à lire « encore une fois » un livre favori, en suscitant l'attention de l'enfant par le respect du rythme, des temps forts, de l'intonation.

Pour Sophie

Traduction d'Odile George et Patrick Jusserand

ISBN : 978-2-07-063226-8
Titre original : *The Enormous Crocodile*
Publié par Jonathan Cape Children's Books,
Random House, Londres
© Roald Dahl, 1978, pour le texte
© Quentin Blake, 1978, pour les illustrations
© Gallimard Jeunesse, 1978, pour la traduction française,
2010, pour la présente édition
Numéro d'édition : 182392
Loi n° 49-956 du 16 juillet 1949
sur les publications destinées à la jeunesse
1er dépôt légal : avril 2010
Dépôt légal : janvier 2011
Imprimé en France par I.M.E.

Roald Dahl - Quentin Blake

L'Énorme Crocodile

GALLIMARD JEUNESSE

Au milieu de la plus grande, la plus noire,
la plus boueuse rivière d'Afrique, deux crocodiles
se prélassaient, la tête à fleur d'eau. L'un des
crocodiles était énorme. L'autre n'était pas si gros.
– Sais-tu ce que j'aimerais pour mon déjeuner
aujourd'hui ? demanda l'Énorme Crocodile.
– Non, dit le Pas-si-Gros. Quoi ?

L'Énorme Crocodile s'esclaffa, découvrant
des centaines de dents blanches et pointues.
– Pour mon déjeuner aujourd'hui, reprit-il,
j'aimerais un joli petit garçon bien juteux.
– Je ne mange jamais d'enfants,
dit le Pas-si-Gros. Seulement du poisson.
– Ho, ho, ho ! s'écria l'Énorme Crocodile.
Je suis prêt à parier que, si tu voyais, à ce moment
précis, un petit garçon dodu et bien juteux
barboter dans l'eau, tu n'en ferais qu'une
bouchée !
– Certes pas ! répondit le Pas-si-Gros. Les enfants
sont trop coriaces et trop élastiques. Ils sont
coriaces, élastiques, écœurants et amers.

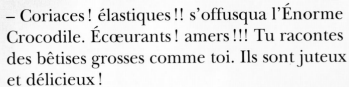

– Coriaces ! élastiques !! s'offusqua l'Énorme Crocodile. Écœurants ! amers !!! Tu racontes des bêtises grosses comme toi. Ils sont juteux et délicieux !

– Ils ont un goût si amer, insista le Pas-si-Gros, qu'il faut les enduire de sucre avant de les consommer.

– Les enfants sont plus gros que les poissons,
rétorqua l'Énorme Crocodile. Ça te fait
de plus grosses parts.
– Tu es un sale glouton, lança le Pas-si-Gros.
Tu es le croco le plus glouton de toute
la rivière.
– Je suis le croco le plus audacieux de toute
la rivière, affirma l'Énorme Crocodile.
Je suis le seul à oser quitter la rivière,
à traverser la jungle jusqu'à la ville pour
y chercher des petits enfants à manger.
– Ça ne t'est arrivé qu'une seule fois, grogna
le Pas-si-Gros. Et que se passa-t-il alors ?
Tous les enfants t'ont vu venir et se sont enfuis.
– Oh ! mais, aujourd'hui, il n'est pas question
qu'ils me voient, répliqua l'Énorme Crocodile.
– Bien sûr qu'ils te verront, reprit le Pas-si-Gros,
tu es si énorme et si laid qu'ils t'apercevront
à des kilomètres.

L'Énorme Crocodile s'esclaffa de nouveau,
et ses terribles dents blanches et pointues
étincelèrent comme des couteaux au soleil.
– Personne ne me verra, dit-il, parce que, cette
fois, j'ai dressé des plans secrets et mis au point
des ruses habiles.
– Des ruses habiles ? s'écria le Pas-si-Gros.
Tu n'as jamais rien fait d'habile de toute ta vie !
Tu es le plus stupide croco de toute la rivière !
– Je suis le croco le plus malin de toute
la rivière, répondit l'Énorme Crocodile.
Ce midi, je me régalerai d'un petit enfant dodu
et bien juteux pendant que toi, tu resteras ici,
le ventre vide. Au revoir.

L'Énorme Crocodile gagna la rive et se hissa
hors de l'eau. Une gigantesque créature
pataugeait dans la boue visqueuse de la berge.

C'était Double-Croupe, l'hippopotame.
– Salut, salut ! dit Double-Croupe. Où vas-tu
à cette heure du jour ?
– J'ai dressé des plans secrets et mis au point
des ruses habiles.
– Hélas ! s'exclama Double-Croupe, je jurerais
que tu as en tête quelque horrible projet.

L'Énorme Crocodile rit à belles dents :

**– J'vais remplir mon ventre affamé et creux
Avec un truc délicieux, délicieux.**

– Qu'est-ce qui est si délicieux ? interrogea
Double-Croupe.
– Devine, lança le crocodile. C'est quelque
chose qui marche sur deux jambes.

– Tu ne veux pas dire…, s'inquiéta Double-Croupe. Tu ne vas pas me dire que tu veux manger un enfant !
– Mais si ! acquiesça le crocodile.
– Ah ! le sale vorace ! la sombre brute ! s'emporta Double-Croupe. J'espère que tu seras capturé, qu'on te fera cuire et que tu seras transformé en soupe de crocodile !!!
L'Énorme Crocodile partit d'un rire bruyant et moqueur, puis il s'enfonça dans la jungle.

Dans la jungle, il rencontra Trompette, l'éléphant. Trompette grignotait des feuilles cueillies à la cime d'un grand arbre et il ne remarqua pas tout d'abord le crocodile.
Aussi ce dernier le mordit-il à la jambe.
– Eh ! s'offusqua Trompette de sa grosse voix profonde. Qui se permet ? Ah ! c'est toi, affreux Crocodile. Pourquoi ne retournes-tu pas à cette grande rivière noire et boueuse d'où tu viens ?
– J'ai dressé des plans secrets et mis au point des ruses habiles, dit le crocodile.
– Tu veux dire de sombres plans et des ruses sournoises, insinua Trompette. De ta vie, tu n'as accompli une seule bonne action.
L'Énorme Crocodile s'esclaffa :

– J'suis d'sortie pour trouver un gosse à croquer. Tends l'oreille et t'entendras les os craquer !

– Ah ! quelle brute épaisse ! s'emporta
Trompette. Ah ! quel infect, ignoble monstre !
Je voudrais que tu sois brisé et broyé, bouilli
et réduit en ragoût de crocodile !

L'Énorme Crocodile partit d'un rire bruyant
et moqueur et s'enfonça dans l'épaisse jungle.

Un peu plus loin, il rencontra Jojo-la-Malice,
le singe. Jojo-la-Malice, perché sur un arbre,
mangeait des noisettes.
– Salut, Croquette, dit Jojo-la-Malice.
Qu'est-ce que tu fabriques ?
– J'ai dressé des plans secrets et mis au point
des ruses habiles.

– Veux-tu des noisettes ? demanda Jojo-la-Malice.
– J'ai mieux que ça, dit le crocodile avec
dédain.
– Y a-t-il quelque chose de meilleur que
les noisettes ? interrogea Jojo-la-Malice.
– Ha, ha ! fit l'Énorme Crocodile.

**L'aliment que je m'en vais consommer
Possède doigts, ongles, bras, jambes, pieds !**

Jojo-la-Malice pâlit et frémit de la tête
aux pieds.
– Tu n'as pas réellement l'intention d'engloutir
un enfant, non ? s'effraya-t-il.
– Bien sûr que si, assura le crocodile.
Les vêtements et tout. C'est meilleur avec
les vêtements.
– Oh ! l'horrible goinfre, s'indigna
Jojo-la-Malice. Le répugnant personnage !
Je voudrais que boutons et boucles te restent
en travers de la gorge et t'étouffent !

Le crocodile s'esclaffa :
– Je mange également les singes.
Et, rapide comme l'éclair, d'un coup sec
de ses terribles mâchoires, il brisa l'arbre
sur lequel se tenait Jojo-la-Malice.

L'arbre s'écrasa au sol, mais Jojo-la-Malice
bondit à temps vers les branches voisines
et s'enfuit dans le feuillage.

Un peu plus loin, l'Énorme Crocodile rencontra
Dodu-de-la-Plume, l'oiseau.
Dodu-de-la-Plume bâtissait un nid dans un
oranger.
– Salut à toi, Énorme Crocodile ! chanta Dodu-
de-la-Plume. On ne te voit pas souvent par ici.
– Ah ! dit le crocodile. J'ai dressé des plans
secrets et mis au point des ruses habiles.
– Rien de mauvais ? chanta Dodu-de-la-Plume.
– Mauvais ! ricana le crocodile. Sûrement pas
mauvais ! Au contraire, c'est délicieux !

C'est succulent, c'est super,
C'est fondant, c'est hyper !
Et c'est bien meilleur qu'du vieux poisson pourri.
Ça s'écrase et ça craque,
Ça s'mastique et ça se croque !
D'l'entendre crisser sous la dent, c'est joli !

– Ce doit être des baies, siffla Dodu-de-la-Plume.
Pour moi, les baies, c'est ce qu'il y a de meilleur
au monde. Peut-être des framboises ? Ou des
fraises ?

L'Énorme Crocodile éclata d'un si grand rire
que ses dents cliquetèrent telles des pièces
dans une tirelire.
– Les crocodiles ne mangent pas de baies,
affirma-t-il. Nous mangeons les petits garçons
et les petites filles. Parfois, aussi, les oiseaux.
D'une brusque détente, il se dressa et lança
ses mâchoires vers Dodu-de-la-Plume.
Il le manqua de peu mais parvint à saisir
les longues et magnifiques plumes de sa queue.

Dodu-de-la-Plume poussa un cri d'horreur
et fendit l'air comme une flèche, abandonnant
les plumes de sa queue dans la gueule
de l'Énorme Crocodile.

Finalement, l'Énorme Crocodile parvint
de l'autre côté de la jungle, dans un rayon
de soleil.
Il pouvait apercevoir la ville, toute proche.
– Ho, ho ! se confia-t-il à haute voix, ha, ha !

Cette marche à travers la jungle m'a donné une faim de loup. Un enfant, ça ne me suffira pas aujourd'hui. Je ne serai rassasié qu'après en avoir dévoré au moins trois, bien juteux ! Il se mit à ramper en direction de la ville.

L'Énorme Crocodile parvint à un endroit où il y avait de nombreux cocotiers. Il savait que les enfants y venaient souvent chercher des noix de coco. Les arbres étaient trop grands pour qu'ils puissent y grimper, mais il y avait toujours des noix de coco à terre.
L'Énorme Crocodile ramassa à la hâte toutes celles qui jonchaient le sol, ainsi que plusieurs branches cassées.
– Et maintenant, passons au piège subtil n° 1, murmura-t-il, je n'aurai pas à attendre longtemps avant de goûter au premier plat.

Il rassembla les branches et les serra entre
ses dents. Il recueillit les noix de coco dans
ses pattes de devant. Puis il se dressa en prenant
équilibre sur sa queue. Il avait disposé
les branches et les noix de coco si habilement
qu'il ressemblait à présent à un petit cocotier
perdu parmi de grands cocotiers.
Bientôt arrivèrent deux enfants : le frère
et la sœur. Le garçon s'appelait Julien ;
la fillette, Marie. Ils inspectèrent les lieux,
à la recherche de noix de coco, mais ils
n'en purent trouver aucune, car l'Énorme
Crocodile les avait toutes ramassées.

– Eh regarde ! cria Julien. Cet arbre, là-bas,
est beaucoup plus petit que les autres
et il est couvert de noix de coco ! Je dois pouvoir
y grimper si tu me donnes un coup de main.

Julien et Marie se précipitèrent vers ce qu'ils
pensaient être un petit cocotier. L'Énorme
Crocodile épiait à travers les branches, suivant
des yeux les enfants à mesure qu'ils approchaient.
Il se lécha les babines. Le voilà qui bavait
d'excitation…

Soudain, il y eut un fracas de tonnerre !
C'était Double-Croupe, l'hippopotame.
Crachant et soufflant, il sortit de la jungle.
Tête baissée, il arrivait à fond de train !
– Attention, Julien ! hurla Double-Croupe.
Attention, Marie ! Ce n'est pas un cocotier !
C'est l'Énorme Crocodile qui veut vous manger !

Double-Croupe chargea droit sur l'Énorme
Crocodile. Il le frappa de sa tête puissante
et le fit valdinguer et glisser sur le sol.
– Aouh !... gémit le crocodile.
Au secours ! Arrêtez !
Où suis-je ?

Julien et Marie s'enfuirent vers la ville
aussi vite qu'ils le purent.

Mais les crocodiles ont la peau dure.
Il est difficile, même à un hippopotame,
de les blesser. L'Énorme Crocodile reprit
ses esprits et rampa vers un terrain de jeux
réservé aux enfants.
« Maintenant, passons au piège subtil n° 2,
se dit-il. Celui-là fonctionnera, c'est sûr ! »

Pour le moment, il n'y avait pas d'enfants.
Ils étaient tous à l'école. L'Énorme Crocodile
découvrit un grand morceau de bois ; le plaçant
au milieu du terrain, il s'y étendit en travers
et replia ses pattes. Il ressemblait presque, ainsi,
à une balançoire !
À l'heure de la sortie, tous les enfants
se précipitèrent vers le terrain de jeux.
– Oh ! regardez ! crièrent-ils. On a une nouvelle
balançoire !
Ils l'entourèrent avec des cris de joie.
– C'est moi le premier !
– Je prends l'autre bout !
– À moi d'abord !
– Non, à moi, à moi !

Mais une petite fille, plus âgée que les autres, s'étonna :

– Elle me paraît bien noueuse, cette balançoire, non ? Vous croyez qu'on peut s'y asseoir sans danger ?

– Mais oui ! reprirent les autres en chœur. C'est du solide !

L'Énorme Crocodile entrouvrit un œil et observa les enfants qui se pressaient autour de lui.

« Bientôt, pensa-t-il, l'un d'eux va prendre place sur ma tête, alors… un coup de reins, un coup de dent, et… miam, miam, miam ! »

À cet instant précis, il y eut un éclair brun et quelque chose traversa le terrain de jeux, puis bondit au sommet d'un portique.

C'était Jojo-la-Malice, le singe.

– Filez ! hurla-t-il aux enfants. Allez, filez tous ! Filez, filez, filez ! Ce n'est pas une balançoire, c'est l'Énorme Crocodile qui veut vous manger !

Ce fut une belle panique parmi les enfants qui
détalèrent. Jojo-la-Malice disparut dans la jungle
et l'Énorme Crocodile se retrouva tout seul.

Maudissant le singe, il se replia vers les buissons
pour se cacher. « J'ai de plus en plus faim !
gémit-il. C'est au moins quatre enfants
que je devrais engloutir avant d'être rassasié ! »

L'Énorme Crocodile rôda aux limites de la ville,
prenant grand soin de ne pas se faire remarquer.
C'est ainsi qu'il arriva aux alentours d'une place
où l'on achevait d'installer une fête foraine.
Il y avait là des patinoires, des balançoires,
des autos tamponneuses ; on vendait du pop-corn
et de la barbe à papa. Il y avait aussi un grand
manège. Le grand manège possédait de ces
merveilleuses créatures en bois que les enfants
enfourchent : des chevaux blancs, des lions,
des tigres, des sirènes et leur queue de poisson,
et des dragons effroyables aux langues rouges
dardées.

« Passons au piège subtil n° 3 ! » susurra
l'Énorme Crocodile en se léchant les babines.

Profitant d'un moment d'inattention, il grimpa
sur le manège et s'installa entre un lion et un
dragon effroyable. Les pattes arrière légèrement
fléchies, il se tint parfaitement immobile.
On aurait dit un vrai crocodile de manège.
Bientôt de nombreux enfants envahirent
la fête. Plusieurs coururent vers le manège.
Ils étaient très excités.
– Je prends le dragon !
– Et moi, ce joli petit cheval blanc !
– À moi le lion !

Mais une petite fille, nommée Jill :
– Je veux monter sur ce drôle de crocodile
en bois !
L'Énorme Crocodile ne bougeait pas d'une écaille,
mais il pouvait apercevoir la petite fille se diriger
vers lui : « Miam, miam, miam… je ne vais en faire
qu'une bouchée. »

Alors il y eut un froissement d'ailes : « flip-flap »,
et quelque chose descendit du ciel dans
un bruissement de plumes chamarrées,
c'était Dodu-de-la-Plume, l'oiseau.
Il voleta autour du manège, chantant :
– Attention, Jill ! Attention, attention ! Ne monte
pas sur ce crocodile !
Jill s'immobilisa et leva les yeux.
– Ce n'est pas un crocodile en bois ! continua Dodu-
de-la-Plume. C'est un vrai. C'est l'Énorme Crocodile
de la rivière qui veut te manger !
Jill fit demi-tour et s'enfuit. Et tous les enfants
s'enfuirent.

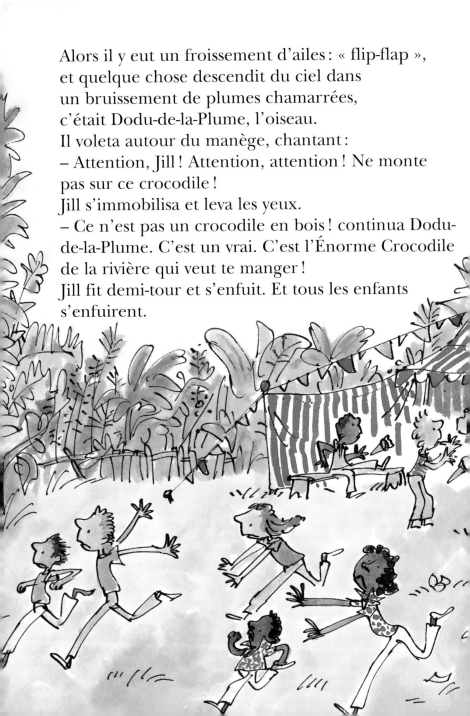

Même l'homme qui surveillait le manège
quitta son poste et s'enfuit au plus vite.
L'Énorme Crocodile, maudissant Dodu-
de-la-Plume, se replia vers les buissons pour
s'y cacher. « Qu'est-ce que j'ai faim ! Je pourrais
manger six enfants avant d'être rassasié ! »

Aux alentours immédiats de la ville, il y avait
un joli petit champ entouré d'arbres et
de buissons : au lieu-dit du « Pique-Nique ».
On y avait disposé des tables et de grands bancs
en bois, et les gens pouvaient venir s'y installer
à tout moment. L'Énorme Crocodile se glissa
jusqu'à ce champ. Personne en vue !
« Et maintenant, passons au piège subtil n° 4 »,
marmonna-t-il entre ses dents.

Il cueillit une belle brassée de fleurs qu'il plaça sur une table. Il ôta un des bancs de cette même table et le cacha derrière un buisson.

Puis il prit lui-même la place du banc. En rentrant la tête dans les épaules et en dissimulant sa queue, il finit par ressembler exactement à un long banc de bois.

Bientôt arrivèrent deux garçons et deux filles qui portaient des paniers remplis de victuailles. Ils appartenaient tous à la même famille et leur mère leur avait donné la permission d'aller pique-niquer ensemble.

– Quelle table on prend ?
– Celle avec des fleurs !

L'Énorme Crocodile se fit aussi discret qu'une souris. « Je vais tous les manger ! se dit-il. Ils vont venir s'asseoir sur mon dos, je sortirai alors brusquement la tête et je n'en ferai qu'une bouchée croustillante et savoureuse. »

C'est alors qu'une grosse voix profonde retentit
dans la jungle :
– Arrière, les enfants ! Arrière, arrière !
Les enfants, saisis, scrutèrent l'endroit d'où
provenait la voix. Dans un craquement de branches,
Trompette, l'éléphant, surgit hors de la jungle.
– Ce n'est pas sur un banc que vous alliez vous
asseoir, barrit-il, c'est sur l'Énorme Crocodile
qui veut vous manger !

Trompette fila droit sur l'Énorme Crocodile
et, rapide comme l'éclair, il enroula sa trompe
autour de la queue de celui-ci, et le tint suspendu
en l'air.

– Aïe, aïe, aïe ! Lâche-moi ! gémit l'Énorme
Crocodile, la tête en bas. Lâche-moi, lâche-moi !

– Non ! rétorqua Trompette, je ne te lâcherai pas !
On en a vraiment plein le dos
de tes pièges subtils !

Trompette fit tourner le crocodile dans
les airs. D'abord lentement. Puis plus vite…
Plus vite…
De plus en plus vite…

Toujours plus vite…
On ne vit bientôt plus de l'Énorme Crocodile
qu'une forme tourbillonnante au-dessus de la tête
de Trompette.

Soudain, Trompette lâcha la queue du crocodile
qui partit dans le ciel comme une grosse fusée
verte. Haut dans le ciel… de plus en plus haut…
de plus en plus vite…
Il alla si vite et si haut que la terre ne fut plus
qu'un tout petit point en dessous.

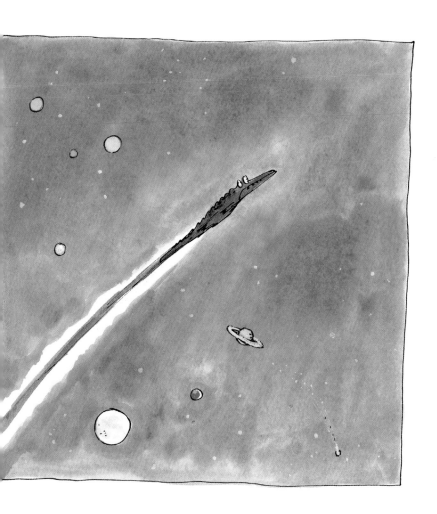

Il passait en sifflant...
whizz... dans l'espace
whizz... il dépassa la lune...
whizz... il dépassa les étoiles et les planètes...
whizz... jusqu'à ce que, enfin...
dans le plus retentissant bang !!...

l'Énorme Crocodile fonce dans le soleil,
tête la première… dans le soleil brûlant !!!…
C'est ainsi qu'il grilla comme une saucisse !!!

L'auteur

Roald Dahl est né au pays de Galles, en 1916, de parents fortunés d'origine norvégienne. Avide d'aventures, il part pour l'Afrique à 18 ans, avant de devenir pilote à la Royal Air Force. Suite à un accident d'avion, il se met à écrire… Mais c'est seulement en 1961, après avoir publié pendant quinze ans des livres pour les adultes, que Roald Dahl devient écrivain pour la jeunesse avec l'immense succès qu'on lui connait. Depuis sa mort, en 1990, Felicity, sa femme, gère la fondation caritative Roald Dahl, qui se consacre à la neurologie, la dyslexie, l'illettrisme et l'encouragement à la lecture.
http://www.roalddahl.com/

L'illustrateur

Né en 1932, **Quentin Blake** entame sa collaboration avec Roald Dahl en 1978, avec *L'Énorme Crocodile*. Il crée aussi ses propres histoires, de vrais classiques. Figure emblématique de l'illustration, il est devenu, en 1999, le premier Ambassadeur du livre pour enfant (*Children's laureate*). Honoré du grade d'officier des Arts et Lettres en 2007, il a également reçu le prix Andersen, « prix Nobel » du livre de jeunesse. Son activité artistique s'ouvre sans cesse à de nouvelles perspectives, avec notamment la décoration, en 2008, de l'aile pédiatrie de l'hôpital Trousseau, à Paris, et la réalisation de fresques pour la maternité d'Angers. Il partage sa vie entre Londres et sa maison de l'ouest de la France.
http://www.quentinblake.com/

Dans la même collection

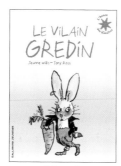

n° 1 *Le vilain gredin*
par Jeanne Willis
et Tony Ross

n° 2 *La sorcière Camembert*
par Patrice Leo

n° 3 *L'oiseau qui ne savait pas chanter*
par Satoshi Kitamura

n° 4 *La première fois que je suis née*
par Vincent Cuvellier
et Charles Dutertre

n° 5 *Je veux ma maman !*
par Tony Ross

n° 6 *Petit Fantôme*
par Ramona Bădescu
et Chiaki Miyamoto

n° 7 *Petit dragon*
par Christoph Niemann

n° 8 *Une faim de crocodile*
par Pittau et Gervais

n° 9 *2 petites mains et 2 petits pieds* par Mem Fox et Helen Oxenbury

n° 10 *La poule verte* par Antonin Poirée et David Drutinus

n° 11 *Quel vilain rhino!* par Jeanne Willis et Tony Ross

n° 12 *Peau noire peau blanche* par Yves Bichet et Mireille Vautier

n° 13 *Il y a un cauchemar dans mon placard* par Mercer Mayer

n° 19 *La belle lisse poire du prince de Motordu* par Pef

n° 21 *La promesse* par Jeanne Willis et Tony Ross

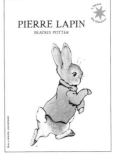

n° 25 *Pierre Lapin* par Beatrix Potter